DU MÊME AUTEUR

Aux Éditions Gallimard

LA PREMIÈRE GORGÉE DE BIÈRE ET AUTRES PLAISIRS MINUSCULES («L'Arpenteur»).

LA SIESTE ASSASSINÉE («L'Arpenteur»; «Folio», n° 4212).

LA BULLE DE TIEPOLO.

DICKENS, BARBE À PAPA ET AUTRES NOURRITURES DÉLECTABLES («L'Arpenteur»).

Dans la collection «Écoutez Lire»

LA PREMIÈRE GORGÉE DE BIÈRE ET AUTRES PLAISIRS MINUSCULES. Lu par Jean-Pierre Cassel. Réalisation de Patrick Lisgebel. Coordination musicale par Anne-Valérie Guerber. Conception graphique par Élisabeth Cohat.

DICKENS, BARBE À PAPA ET AUTRES NOURRITURES DÉLECTABLES. Lu par Jean-Pierre Cassel. Coordination musicale par Anne-Valérie Guerber. Conception graphique par Élisabeth Cohat.

Aux Éditions Gallimard Jeunesse

ELLE S'APPELAIT MARINE («Folio junior», n° 901). Illustrations in-texte par Martine Delerm. Couverture illustrée par Georges Lemoine).

EN PLEINE LUCARNE («Folio junior», n° 1215). Couverture illustrée par Jean-Claude Götting.

CE VOYAGE. Couverture illustrée par Anne-Catherine Boudet («Scripto»).

Aux Éditions du Mercure de France

Suite des œuvres de Philippe Delerm en fin de volume

LA SIESTE ASSASSINÉE

Philippe Delerm

LA SIESTE ASSASSINÉE

Gallimard

Il va pleuvoir sur Roland-Garros

« Météo-France nous annonce un risque d'averse dans vingt minutes environ. » Sur le court, les couleurs ont changé d'un seul coup. La terre orangée a pris une matité rougeâtre, presque brune. Derrière les juges de ligne, les bâches vert pâle BNP imposent soudain une atmosphère de piscine couverte, de gymnase ennuyeux. Il ne pleut pas vraiment encore, mais une espèce de bruine doit flotter dans l'air, car les contours s'amollissent.

Vient cette seconde redoutée où le serveur regarde vers le ciel, puis vers l'arbitre. Imperturbable sur sa chaise, ce dernier annonce paisiblement 15-30. Il doit montrer qu'il ne va pas se laisser faire : un des deux joueurs a toujours intérêt à ce que le match soit interrompu. Le jeu se poursuit, mais on ne prête plus trop attention au score. La pluie va venir. Il y a ainsi des choses que l'on redoute en sachant bien qu'elles viendront quand même. Quand l'averse s'abat, indiscutable et franche, on se résigne sans soupir. En quelques secondes, l'arbitre est au bas de sa chaise, les raquettes de rechange et les serviettes ont disparu au plus profond des sacs, les ramasseurs déploient la grande bâche molle et sombre.

Alors on n'a plus rien à faire. Devant l'écran de télé, on a presque l'odeur des tilleuls rimbaldiens dans les allées de juin. Comme les vrais spectateurs, on flâne dans sa tête, en attendant. Il y a ce calme, ce rien, ce Paris suspendu de la porte d'Auteuil. Toutes les technologies, toutes les frénésies publicitaires et sportives focalisées sur le tournoi prennent un petit coup de lenteur mélancolique. La semaine prochaine, il fera beau pour la finale, on le sait bien, la terre sera rouge arène et les téléobjectifs déploieront leur museau monstrueux. Mais maintenant il y a un peu d'ennui, l'envie d'une tasse de thé, d'un pull à enfiler même s'il fait très doux. Il pleut sur Roland-Garros.

Rencontre à l'étranger

On ne sait rien d'eux. On ne connaît même pas leur nom. D'habitude, on se contente de les saluer d'un mouvement de tête, chez la boulangère ou dans le bureau de tabac. Dix ans quand même qu'on les croise ainsi, sans la moindre curiosité. Ce n'est même pas de l'indifférence. Plutôt une sorte de contiguïté familière, pas désagréable, mais qui ne mène nulle part.

Et puis voilà qu'ils sont là, en plein cœur de Hyde Park, quelle idée ! Après la cohue des magasins de Regent Street, on s'était amusé de cette liberté anglaise qui permet à chacun de s'emparer d'une chaise longue et de s'affaler, les pieds sur le gazon, avec un soupir de satisfaction — et le sentiment d'être presque devenu un autochtone. Mais à quelques yards, juste en face de vous, pareillement alanguis dans la toile vert sombre... Il faut en convenir, cette reconnaissance ne suscite pas d'emblée un enthousiasme irrépressible. Plutôt une réticence, liée précisément à l'idée qu'il serait opportun de manifester de la joie, et que ça ne sera pas facile. De leur côté, le même sentiment naît à la même seconde, et les gestes alors deviennent parallèles. On s'étonne à l'unisson, les yeux écarquillés, la bouche ouverte. On s'approche avec une lenteur qui dément aussitôt l'extrême félicité affectée l'instant précédent. Que va-t-on bien se dire?

C'est là que l'hypocrisie sociale accumulée pendant des années vient vous sauver. Oui, cette espèce d'aisance valable en toutes circonstances qui ne console pas des belles timidités de l'adolescence, mais leur succède, et marque l'irrémédiable passage à l'âge adulte, cet aplomb dérisoire mais si pratique vous permettent de faire face, avec un naturel vaguement obscène. On parle. On parle d'Angleterre, évidemment. Toute allusion à la communauté des origines est exclue d'office. Par contre, les circonstances du voyage, les hasards de l'hébergement, le dilemme entre le tube et le taxi sont tour à tour passés au crible. Enivré par sa propre énergie, on s'étonne. Le courant passe bien, comment avait-on pu s'ignorer si longtemps? On ne sait toujours pas grand-chose de leur vie, mais ils ont l'air gentil, et

dans la chaleur du moment, on va leur proposer de prendre un pot ensemble. Quoique...
On est pour deux jours à Londres, et la mois-
son de climats à engranger risque de se réduire
à une peau de chagrin si on commence à diluer
le temps avec des concitoyens. Un rendez-
vous en France au retour, alors ? Oui, bien
sûr... Encore que... On ne peut pas parler de
Londres pendant cent sept ans...

Tout ce non-dit défile aussi en parallèle,
on le sent bien. Le joyeux babil des premières
secondes s'en ressent, et les phrases s'espacent.
On se quitte un peu gourds, et l'au revoir a des
accents de délivrance.

Huit jours plus tard, à la Maison de la
Presse, on fera semblant de ne pas se voir.

Cet air un peu penché

La joue droite s'incline à peine vers l'épaule.
C'est drôle. C'est un geste qu'on voyait faire
en couple, avant, quand l'un semblait réclamer
quelque chose sans les mots, une caresse, un
baiser, l'enveloppement par le bras de l'autre.
Un geste comme de lassitude et d'abandon,
d'imperceptible bouderie mais de tristesse
aussi, l'inclinaison légère de la nuque voulait
dire tout ça. Et maintenant, voilà qu'on fait ce
geste seul, au milieu d'une place, au hasard
d'un trottoir, en marchant plus lentement
mais sans s'arrêter de marcher, ou bien assis
sur une plage, à la terrasse d'un café, partout.
Partout cet aveu de faiblesse, ce besoin d'une
voix, d'une présence qu'on n'a pas.

C'est juste pour parler dans le portable,
bien sûr, et le message est souvent bien banal,
je suis à l'angle de la rue d'Amsterdam, dans
vingt minutes je serai à la maison, il y a des

tomates et un concombre dans le bac à légumes. C'est peut-être simplement une contrainte technique, quand il y a du bruit tout autour il faut tenir le portable bien collé contre l'oreille et le cacher dans l'encolure du manteau, ou à l'abri du vent. Oui... Peut-être... Mais ça ressemble quand même à ce geste d'enfant qu'on faisait pour écouter la mer au fond d'un coquillage. Rien à voir, c'est entendu, on communique dynamique dans le présent tendu.

Mais il y a cet air un peu penché, qui navigue sur les trottoirs en solitudes parallèles. Comme si on était tous exilés de l'enfance, un peu perdus.

Voyeur de pivoine

En tout bien tout honneur, on peut marcher de fleur en fleur dans les jardins, visiter la giroflée comme on prendrait le thé chez une élégante confinée dans son velours grenat, désirer sagement le bouton de cognassier, comme on aurait envie d'une glace italienne panachée fraise et vanille, s'embarquer quelques secondes sous le parapluie chinois de l'ancolie. Mais la pivoine vous attend toujours au détour d'un buisson, et l'on risque aussitôt l'outrage aux bonnes mœurs. Si ronde, si pleine, si sûre d'elle, elle n'en finit pas de se gonfler. Même en bouton, elle déploie ses courbes avec la volupté d'une belle dormeuse dans ses draps, feignant le plaisir du sommeil — car son bonheur est d'être regardée.

Offerte, la pivoine, pulpeuse dès l'enfance, accablée de langueur au creux de son berceau... Et puis si vite déployée, si généreuse de pétales, et ce rouge au-delà du goût... Grenade, violet-mauve, et quelquefois framboise sous ciel gris... Ce n'est plus une couleur, mais la métaphore d'un abandon : juste ce qu'il faut de secret lourd pour que sa sensualité ne glisse pas vers une invite molle.

Comment ne pas rester quelques instants devant ce flamboyant spectacle, séduit, un peu gêné, pourtant? La pivoine est compromettante. Sucre et poivre mêlés, elle promet toutes les saveurs : la regarder semble un péché. Mais l'attentat en reste là, la Mondaine ne sera pas alertée; au premier orage, la pivoine se délave, se disperse, et de l'envie on passe à la pitié. Allumeuse, elle ne brûle que pour elle, et solitaire meurt en papier buvard pâle au hasard des allées. Son épitaphe lui donne un peu trop tard la mystique qui lui manquait :

Elle était folle de son corps
Elle s'aimait trop pour le donner
Priez pour elle

Ce soir je sors la poubelle

Ce n'est pas quand on jette quelque chose. Non, on ne regarde pas vraiment, alors — on s'occupe juste de savoir si la poubelle est plus ou moins pleine. Mais quand elle commence à déborder, qu'il faut se résoudre à extraire le sac, juste avant de le fermer avec le petit ruban de plastique translucide, on jette un bref coup d'œil à ce trésor composite. On ne le trouve pas si répugnant. C'est le marc de café qui donne l'unité, s'infiltre entre les interstices. Il saupoudre sans vergogne les enveloppes déchirées, sans souiller l'encre bleue des écritures familières, s'attarde dans le creux mouillé des épluchures de pommes de terre. Un trognon de pomme parcheminé s'est engouffré dans la coque laiteuse d'un pot de yaourt au bifidus. La pointe d'un crayon-feutre asséché s'obstine à piquer la plaque alvéolée d'une tablette de magnésium. Il y a d'étranges solitudes qui se happent ainsi, dans cet espace qu'on avait cru rendre compact en l'aplatissant de la paume de la main, aux dernières visites. Mais à peine a-t-on le dos tourné que tous ces faux cadavres recommencent à respirer, reprennent forme et se tutoient en liberté nocturne. On voulait compresser, abolir, effacer. C'était bien du mépris. Elles ne nous appartiennent pas, ces côtes de melon jamais assez raclées. On croit jeter l'envers de soi, le sale et l'inutile. Mais c'est peut-être aussi l'endroit qu'on pourrait déchiffrer, dans ces curieuses fiançailles entre les revues jamais lues des mutuelles et les boîtes d'Upsa, les petits parachutes des sachets de thé, les écorces d'orange. Quelques secondes pour saisir tout cela, qui nous ressemble et nous échappe. Puis on ferme le sac d'un nœud bien sec. Mais rien n'est mort. Ils se reparleront ensemble, loin de nous, témoins à décharge.

À l'envers des paupières

Des protozoaires, des amibes, comme celles qu'on regardait au microscope, au cours de biologie. On se demandait toujours si c'était bien ça qu'il fallait voir, sur la petite lamelle, mais oui, ce n'était que ça, ces transparences blafardes entre les cils. On est allongé sur la plage au grand soleil. On a fermé les yeux. Les amibes passent, sur l'écran des paupières. Elles dérivent doucement de gauche à droite, puis disparaissent en haut de l'œil. Alors une autre leur succède. Bien sûr, si on fermait les yeux très fort, on ne les verrait plus. Mais c'est ainsi que l'on est bien, les yeux juste voilés, le dos lové contre le sable chaud. Présent. Absent. On entend tout : le roulement de la mer, les cris des enfants par-dessus, la cacophonie des mouettes. De temps en temps, une phrase proche en provenance d'un parasol voisin se détache :

— Moi, j'ai regardé Capital dimanche. Eh bien depuis, je n'ai plus envie de manger du tout !

Mais plus souvent, ce sont des ordres qui s'éloignent dans l'espace :

— Marine, pas trop loin !...

Les amibes s'agglutinent, se rangent au long d'une structure changeante, en courbe ou en zigzag. Petites perles d'eau évanescentes, dessinant l'envers du ciel et de l'été. On dirait un insecte maintenant, une silhouette de mante religieuse qui se disloque avant de prendre corps, et voilà la Grande Ourse, et puis des grains de tapioca, diaphanes et grumeleux.

À l'envers des paupières, on est lové dans la chaleur, les bruits légers, l'idée de rien qui flotte. C'est comme au microscope d'autrefois un monde entre deux cils qui bouge à l'infini, immense, infime, et dans l'écran inverse s'abolit. Bientôt on ouvrira les yeux. La mer sera si brutalement verte. Mais on n'est pas pressé d'abandonner le gris.

Le oui oui au coiffeur

On est là, tout engoncé dans le fauteuil, tout vaporeux, flottant dans la soyeuse blouse vague que le coiffeur vous a fait enfiler. Au début, il a eu ce geste du doigt glissant autour de votre cou pour placer la petite serviette protectrice — et dès lors on s'est laissé faire, anesthésié par tant d'autorité et tant de prévenances, par tant d'effluves de violette et de fougère répandus au hasard de la pièce.

Quand le coiffeur vous parle dans le dos, ce n'est pas très poli de le suivre des yeux dans la glace, et puis ça l'agace un peu — il ne dit rien, mais vous saisit la tête entre ses mains, à hauteur des tempes, et rectifie la position avec une douceur très implacable. Puis le ballet du peigne et des ciseaux reprend, et la conversation aussi, après un petit blanc. Alors, c'est assez étrange : on se regarde dans la glace bien en face tout en bavardant. On ne peut pas dire qu'on se voie vraiment, ni qu'on s'admire — ce serait bien gênant d'opposer une telle suffisance à cet artisanat butinant qui se déploie autour de vos oreilles. On se regarde en s'oubliant. On devient la conversation, bien anodine le plus souvent, du type moralisateur à consensus très large, sur l'évolution défensive du football, par exemple — qu'est-ce que vous voulez, c'est l'argent qui commande.

Mais la minute qui compte, c'est tout à la fin. Les gestes se sont alentis, le coiffeur vous a délivré du tablier de nylon, qu'il a secoué d'un seul coup, dompteur fouetteur infaillible. Avec une brosse douce, il vous a débarrassé des poils superflus. Et l'instant redouté arrive. Le coiffeur s'est rapproché de la tablette, et saisit un miroir qu'il arrête dans trois positions rapides, saccadées : sur votre nuque, trois quarts arrière gauche, droite. C'est là qu'on mesure soudain l'étendue du désastre... Oui, même si c'est à peu près ce qu'on avait demandé, même si l'on avait très envie d'être coiffé plus court, chaque fois on avait oublié combien la coupe fraîche donne un air godiche. Et cette catastrophe est à entériner avec un tout petit oui oui, un assentiment douloureux qu'il faut hypocritement décliner dans un battement de paupières approbateur, une oscillation du chef, parfois un « c'est parfait » qui vous met au supplice. Il faut payer pour ça.

Les petites vieilles du jackpot

Elles sont veuves, sûrement. Elles ont souvent les cheveux presque mauves, trop frisés, des tailleurs à ramages beiges ou bien lilas, des poignets à gourmette, mais pas de gourmette. Assises devant les machines à sous, elles ont le regard dur, absent. D'un geste d'automate, elles puisent une à une les pièces dans le seau en plastique — c'est drôle, ce petit seau pour faire joujou au sable qui devient joujou à être vieux devant les gargouillis des machines. Tout autour d'elles, il y a des gens plus jeunes — l'un met les pièces, les autres dans son dos commentent, poussent des oh!, des ah! Mais les petites vieilles ne cillent même pas. Statufiées sur leur tabouret, elles regardent infiniment tourner les cerises, les prunes, les poires, les bananes.

Soudain ça y est, les rouleaux s'arrêtent tous ensemble sur les cerises; il y a un « tchac » très mat, très sec, tout de suite une pluie de pièces qui s'abat dans la rigole, en bas. Cela dure, les autres joueurs jettent un coup d'œil en biais, certains s'arrêtent, écœurés par la longueur de l'averse. Mais les petites vieilles ne ramassent même pas les pièces. Elles jouent gros jeu. Elles ont le temps. Aucune joie sur leur visage.

Elles font peur, les petites vieilles du jack-pot. Depuis longtemps, elles ne savent plus le goût des prunes ou des cerises. Elles n'ont besoin de rien, envie de rien. Mais elles veulent de l'argent, avec une soif mécanique. Il y a des lumières orangées qui leur font le teint blême, des mots américains qu'elles ne comprennent pas, des musiques trop fortes qu'elles n'entendent pas. En pénétrant dans la salle de jeux, la première fois, on les trouve un peu ridicules, déplacées. Mais on comprend bien vite que toute cette fournaise dérisoire, c'est pour elles, pour leurs victoires absurdes et leurs défaites sans saveur. Elles enfournent enfin dans le seau à joujou les pièces amoncelées de la rigole. Elles reprennent leur manteau, on compte leur pactole, on leur distribue des billets. D'un geste las, elles laissent le dernier au garçon en smoking. On aimerait savoir qu'à un moment précis leur cœur a battu juste un peu plus vite. Mais elles ne veulent avoir personne à qui le dire. Elles s'en vont à petits pas le long de la digue allumée. C'est un beau soir d'été; les adolescentes ont mis un pull sur leurs épaules, les enfants mangent des glaces. Les petites vieilles disparaissent dans la nuit. Demain elles reviendront. Jouer.

Le présent des bios

Les notices biographiques des dictionnaires sont trop courtes. Coincés entre leur naissance et leur mort, on a le sentiment que les écrivains ont à peine eu le temps d'écrire leur œuvre — les dates marquantes à côté des titres ne leur laissent aucun loisir pour respirer, ne nous laissent aucune place pour imaginer.

Ce qui est bien, ce sont les présentations raisonnables, deux ou trois pages, comme celles qu'on trouve dans le Lagarde et Michard :

« Au collège de Château-Thierry, Jean de La Fontaine apprend le latin, et peut-être un peu de grec. À vingt ans (1641) il se croit la vocation ecclésiastique ; mais il quitte bientôt la théologie pour le droit et reçoit le titre d'avocat au Parlement. En 1647, il épouse Marie Héricart. »

Comme il est frais, ce présent des bios ! La Fontaine apprend le latin, comme ça, sans aucun effort, et juste pour que ça soit inscrit plus tard dans sa biographie. Peut-être un peu de grec aussi.. On le pressent : les auteurs du manuel ont dû avoir leur petite idée, vouloir nous suggérer que ce bon La Fontaine a rencontré très tôt les modèles antiques de ses fables. Ils en sont pour leurs frais. Ce qu'on retient, c'est que la vie de Jean ne se presse pas trop d'aller vers un destin. Lièvre ou cigale, il fait des détours comme ça lui chante. Peut-être un peu de grec ? Puis le film s'accélère. « Il quitte bientôt la théologie » dont on avait à peine eu le temps de voir planer l'ombre navrante.

Il est facile et si léger, ce rythme des phrases qui vont quelque part. Vers l'œuvre. Vers la mort. Mais on s'en moque bien. Le présent des bios, c'est comme un voyage en diligence où l'on s'arrête à toutes les fontaines. À quoi bon se presser ? Chaque gorgée d'eau pure est une éternité. Rien n'oblige La Fontaine à remonter dans la voiture. Et pour tailler sa plume, il a plus que le temps. En 1647, il épouse Marie Héricart.

Je regarde jamais

— J'étais en train de rembobiner une cas-
sette. Je suis tombé dessus par hasard. Je
regarde jamais !

Ah ! comme il est doux à entendre, ce sentiment de culpabilité télévisée ! Comme il sonne
faux, d'une fausseté contagieuse, qu'on inves-
tira soi-même de la même manière à la prochaine occasion. Chaque fois, l'accentuation
est pourtant véhémente. C'est bien simple, je
crois que ça fait trois mois qu'on ne regarde
plus la télé. Mais le hasard fait bien les choses.
On a juste vu ça. En toute bonne foi, on véri-
fiait que le film de Fellini programmé sur Arte
à 23 h 45 était enregistré en entier. Mais on
est tombé sur l'algarade entre la chanteuse
allumée et le présentateur diplômé d'inso-
lence, sur la publicité débile, la colère du poli-
tique poussé hors de ses gonds. Et c'est de
ça qu'on parle, pas du film de Fellini — moi

aussi, je l'ai enregistré, mais je ne l'ai pas encore regardé.

Tu as vu comment elle lui a répondu? Une mine gourmande vient démentir au fond de l'œil le détachement olympien affiché la seconde précédente. On subissait quelques instants l'ordinaire du programme, un brin condescendant pour les excitations plébéiennes du prime time, les couleurs, les décors américanisés. N'empêche; c'est là qu'on a trouvé le sujet croustillant, celui qui fait passer une onde de répulsion complice, de réjouissance outrée.

On a le droit de tout : de jardiner, d'écouter la radio, de faire l'amour, de faire la sieste, de lire une bande dessinée, avachi dans un fauteuil. Mais la télé, la vraie télé, c'est mal. Le décret est tombé un jour, avec en contrepoint l'attirance immédiate suscitée pour ce qui est si défendu, si médiocre, si veule.

Alors on est resté en équilibre instable sur la bande étroite de la mauvaise conscience. De bonne foi on traficote, on transige petitement, le doigt sur la télécommande. Ce qu'il ne faut jamais manquer, à la télé, c'est ce qui passe quand on rembobine.

La plage des Tartares

C'est l'heure où tout le monde a déserté pour le repas du soir. Des enfants caramel, les yeux rougis, une serviette de bain nouée sur l'épaule, trottinent sur la pointe de leurs pieds nus, poussent la barrière blanche de la villa Saint-Yves.

— Je s'rai l'premier à la douche !

C'est la marée montante, mais la plage est vaste encore. À mi-chemin entre l'eau et le mur de la digue, les pâtés de sable et les châteaux tracent une frontière inattendue. Sans doute leur alignement tient-il à la texture idéale du sable à cet endroit. Mais la solitude et le contre-jour donnent à ces constructions échelonnées un autre sens. Des ombres s'allongent à l'aplomb des tours, des murs d'enceinte. C'est un monde ocre brun de citadelles figées dans l'attente — un désert des Tartares.

Des goélands s'en viennent marcher là, à

petits pas hiératiques et dégoûtés, le col relevé en arrière. Leur taille semble monstrueuse au milieu des châteaux; la minutie des détails, des créneaux, des coquillages décoratifs incrustés sur le flanc des douves bascule dans un univers onirique d'une inquiétante précision sous les plumages gris et blancs.

Au loin brille une mer qui pourrait mener loin. Le soleil orangé se dilue dans un nuage-brume. Les citadelles attendent, c'est leur majesté. L'ennemi qui viendra saura les abolir presque du premier coup.

Combien de temps résistent au fond de l'eau les châteaux engloutis? Leur présent d'entre marées a la prestance suicidaire du roi don Sanche, un air d'exil blessé. Entre l'agitation solaire et la vague à venir, il y a cette heure de lisière. Du haut des tours, un guetteur invisible se résigne à finir, dans la grandeur et l'immobilité. Le put put put d'un chalutier qui rentre au port fait comme un battement de cœur sur le silence.

La vérité?

Ils sont là, sur le pas de la porte. Pâles. Maigres. Avant même de saluer ils sourient, avec une espèce de bienveillance inquiétante. Qu'ont-ils donc à vous pardonner? Que savent-ils de vous pour offrir à l'avance cette absolution sucrée, cette insidieuse courtoisie? Il a une barbiche assyrienne, d'une minceur à la fois discrète et peaufinée. Il tient à la main une sacoche démodée, un porte-documents en skaï noir aux poignées coulissantes. Elle semble tout entière ramassée dans la suavité de son regard bleu ciel. Son corps n'existe pas. Elle n'est qu'un regard de bonté glaciale et désincarnée. Vous savez qui ils sont. Ils savent que vous le savez. De là sans doute ce petit flottement autour du paillasson, cette hésitation frileuse, ce silence benoît. C'est lui qui finit par se lancer, tandis qu'elle aiguise sensiblement le fer de sa prunelle, la tête un peu penchée.

— Nous passons vous voir pour vous demander si vous souhaitez connaître la vérité.

On avait ce jour-là pas mal de courses à faire, quelques coups de téléphone à donner. La vérité n'était pas au programme. Et voilà qu'elle survient sur votre seuil en regard myosotis et barbiche assyrienne! La vérité... Mais déjà le barbichu livide tire de son sac à malices une brochure coloriée, et bien vite l'aménité paillassonnée tourne au vinaigre. Si vous connaissez les théories qui doivent changer le destin du monde? Oui, oui, et vous poussez l'outrecuidance jusqu'à ne pas les partager. Mais vous souhaitez au moins entamer le dialogue? Non, non, pas de dialogue, pas d'entame, et tant pis si un Dieu vengeur vous saisit pour l'éternité dans l'attitude dérisoire du refus sur paillasson.

Sous la barbiche, les lèvres minces esquissent le sourire de la désolation crispée. Dans l'iris bleu, l'orage se maîtrise. Une nuance de pardon pour l'insistance bornée de votre incompréhension commence à vous chauffer le poil. La fermeture éclair du porte-documents signe à la fois la perte de votre âme et la sauvegarde inespérée de votre après-midi. Le mur du paillasson ne sera pas franchi, la vérité s'en va. Quel bonheur après coup de se plonger dans le mensonge!

Délit de fuite

C'est d'abord une tache sur la poche intérieure de la veste. Le tissu satiné transpercé laisse s'épanouir une auréole vaguement circulaire, frangée d'incertitudes arachnéennes. On ne se sent pas du tout catastrophé. Ça ne se verra pas, bien sûr. Et puis... C'est presque agréable de se sentir ainsi maculé en secret. La doublure abandonne son anonymat soyeux pour prendre presque aussitôt une petite note confortable, un quelque chose de la robe de chambre de Diderot, zébrée de griffures plumitives.

Alors on saisit le stylo entre le pouce et l'index, avec une lenteur, une délicatesse superflues : de toute façon, une fois le capuchon dévissé, on aura les doigts tachés, c'est irrémédiable. On arrache une feuille de cahier, on déploie un kleenex pour emmailloter le corps. Le mouchoir en papier est trop mou ; la feuille bien trop raide. On extrait la cartouche, on dévisse, on sépare, on essuie tant bien que mal. Tout cela commence à devenir envahissant, à prendre des proportions vaguement grotesques, sans rapport avec la modestie de la fuite. Mais c'est ça qui est bon. Au temps des pointes feutre performantes, des billes extra-fines, des encres libellule presque sèches volant sur le papier, il faut rendre au stylo baveur son épaisseur béate et molle, cette espèce de candeur dans l'épanchement qui suscite à la fois colère et sympathie. Pas un esclave austère et fonctionnel : un corps bien rond vivant sa propre vie !

Pour endiguer l'hémorragie légère de sang noir, il faudrait un bon buvard rose, comme à l'école autrefois. C'est là qu'on se retrouve, les doigts collants : on a huit ans. On rouspète pour la forme, mais un sourire imperceptible monte aux lèvres. On ne se dépêche pas trop d'aller se laver les mains.

Juste une omelette, comme ça

En fait, c'est souvent dans les fossés qu'on les trouve. Oui, même le long de la route, à la lisière de la forêt — et les automobilistes qui passent détournent la tête une seconde, mais la vitesse les happe, ils doivent juste avoir le temps de dire :

— Tiens, on dirait qu'ils ont trouvé des champignons.

Mais le meilleur endroit, c'est encore dans le sous-bois, sur le talus moussu, au bord de l'allée cavalière. C'est beau, un vrai bouchon de champagne, un vrai cèpe de Bordeaux. Aucune chose au monde ne donne peut-être mieux cette sensation de plénitude fraîche, de perfection rebondie. L'instant précis où on le voit, où on est sûr — non ce n'est pas un silex, pas un amas de feuilles détrempées — donne une sensation de jubilation très pure, sans proportion avec la valeur de la découverte. Bien sûr il avait plu beaucoup, mais quand les gens du village disaient en souriant sous leur parapluie : « Au moins on trouvera des champignons ! », on savait bien que cette consolation n'était pas bien certaine. D'ailleurs il faisait un peu froid, et on était venu deux fois en forêt pour rien, aucune trace, pas même une de ces amanites tue-mouches qui font dire :

— Quand il y a des mauvais, les bons ne sont pas bien loin !

Et puis voilà que la troisième quête est la bonne, avec assez de désir et de pas inutiles pour être heureux de cette présence bon-homme, rondouillarde, si évidente, et dont il est mystérieux de se dire qu'elle est en même temps si fugace et secrète. Parfois, on trouve aussi des trompettes-des-morts — il suffit d'apercevoir la première, si difficile à discerner dans l'obscurité des branches mortes, avec sa couleur presque noire — et on est sûr de faire une cueillette abondante, toutes les autres suivent. Avec le cèpe, c'est bien diffé-rent. Même si on en trouve deux ou trois dans le même carré de mousse, chacun garde sa singularité — et si l'un d'eux est mangé par une limace, son voisin n'en paraît que plus intègre et souverain. La peau du bouchon de champagne est si brune, d'un velouté si mat, le pied crémeux parfois si enflé qu'il outre-passe le chapeau.

Après, c'est une affaire de mijotage, mur-mure de friture, odeurs d'ail et de persil — odeur de forêt surtout, qui imprègne les murs, et fait de la cuisine une officine d'al-chimiste où l'on distille l'essence du sous-bois en fumées lourdes, appétissantes, mais déjà si abstraites — au fond de la poêle, le bouchon de champagne ne se ressemble plus, mais il s'est immiscé partout, dans cette trace embuée sur la vitre, l'envie d'une bouteille poussiéreuse de bourgogne, l'idée d'un coup de téléphone à donner aux amis — juste une omelette, comme ça ; on a trouvé des cèpes.

Piscine avant l'oral

C'est au début de l'été. Il fait très beau. La vie semblerait si facile. Petit matin dans la lenteur du café chaud, soirs grenadine à l'eau dans un jardin qui se prolonge — silence, chèvrefeuille et cigarette.

On n'aura rien de tout cela. C'est à cause du bac, ou d'un autre examen, pis encore d'un concours. Mais c'est la même chose. Le soleil prend l'implacable dureté du destin grec. Voilà. On a juste l'âge qu'il faut pour savourer le monde : on vous oblige à le jouer à pile ou face. C'est inscrit quelque part, peut-être comme l'aigre revanche des plus vieux. On s'embarquait tranquillement vers soi-même, on était amoureux. Alors on vous distille cette angoisse à déchiffrer sur des feuilles collées aux portes des lycées, à pianoter sur un Minitel dans le silence fiévreux d'un vestibule — le ronron tout proche de la télévision parle déjà du Tour de France.

Une brûlure au creux de la poitrine, cette sensation insupportable que partout ailleurs la vie est bonne, les cerises à cueillir. Parfois, les autres sont déjà partis en vacances. Si l'on est refusé, il faudra faire semblant de vivre aussi l'été, les plages de Bretagne, en se disant : l'année prochaine on recommence. Mais pour l'instant, on est en équilibre sur le fil.

On n'est pas très content de soi. On sait que le succès vous rendrait bête, veule, qu'on balaierait d'une joie banale, familiale, cette mélancolie profonde et douce où l'on se sent si près de soi, à la fin de l'adolescence, entre l'amour, l'été, le bac, la vie à traverser. Il vaudrait mieux rater, pour se rester fidèle.

Mais il fait chaud, les robes sont légères, un sprinter belge a gagné la première étape de plat, et l'on espère malgré soi. Avant l'oral, on va à la piscine.

La maison du gardien me suffirait

Un domaine magnifique : longue allée de platanes menant au château dix-huitième noyé dans le vignoble bordelais, longue allée de sapins conduisant à une gentilhommière solognote, à un manoir normand. Envie soudain de marcher seul, maître des lieux, les mains nouées dans le dos, un peu penché en avant, en s'inventant le poids d'un vrai destin, d'un vrai passé, d'une mélancolie pour justifier l'accablante propriété de cette perfection de pierres et de feuillages. Juste quelques secondes. Et puis on dit :

— Moi, la maison du gardien me suffirait !

On déclenche aussitôt autour de soi une vibrante approbation. Bien sûr, la maison du gardien !

Dans ce renoncement, l'humilité n'est qu'apparente. On se contenterait de la maison du gardien non pas parce qu'on est moins, mais parce qu'on saurait davantage. Davantage goûter l'instant, boire les allées, rêver les salons lambrissés. Les propriétaires n'ont que des soucis. Et puis ils ne viennent pas souvent. Paris les tient. Le poids des héritages, le début du déclin doivent bien limiter leur pouvoir de jouissance. Quant au gardien réel, ce n'est peut-être qu'une brute épaisse, qui troquerait sans regret la beauté contre un trois-pièces aseptisé en centre-ville.

Mais on est au milieu. On est un faux gardien qui saurait tout le prix des heures déclinées dans les soirs d'Aquitaine, à la terrasse dominant les vignes, des brumes matinales de l'automne avec l'odeur des cèpes au long des allées cavalières. Le domaine entrevu définit en un clin d'œil la juste position qui permettrait de manifester enfin tout le pouvoir latent que l'on s'accorde. Aristocrate par l'esprit, on aurait soudain toutes les qualités qu'on affirme si peu dans la vie ordinaire. La modestie en plus.

— Moi, la maison du gardien me suffirait bien !

Une petite croûte

— Est-ce qu'il reste du pain?

La question vient toujours trop tard. C'est peut-être pour ça qu'elle est posée sur un ton d'inquiétude vive, presque d'angoisse. On y entend aussi une espèce de fatalisme désenchanté.

— Attends, j'y vais en courant. Chez Trudelle, parfois, ils ferment tard.

— Oh! non, maintenant, c'est plus la peine!

Il y a comme une satisfaction tragique à boire jusqu'à la lie cette catastrophe du soir. Bien sûr on va se reprendre, bien sûr quelqu'un dira:

— C'est pas grave, pour une fois, on prendra des biscottes...

Il n'empêche. L'absence de pain engendre une consternation sans proportion avec le préjudice infligé. Sans pain, on sort du code, on devient hors-la-loi. D'ailleurs, ceux-qui-savent-prendre-leurs-précautions en donnent la leçon : sur la plage arrière des voitures, le dimanche soir, ils ont placé dès dix-sept heures la baguette salvatrice qui les dédommagera de tous les embouteillages. Ils arriveront chez eux à la nuit, harassés, sans plus la moindre envie de dîner, même à la sauvette. Mais ils auront du pain.

Bien plus que d'un aliment, il s'agit là d'une assise mentale. Le pain, c'est le squelette, la structure des journées. Un peu de croûte rêche et brune, un peu de mie : la vie a trouvé là sa poutre de soutènement. Malheur à qui n'a pas prévu de dispenser jusqu'au terme du jour ce modeste mètre étalon qui sert bien moins à mesurer notre appétit que notre prévoyance. À l'heure où les invités s'attardent, vont se voir proposer de partager les restes, avec une salade, rien de plus, la terrible question tardive va venir, et comme chaque fois nous prendre au dépourvu. On se sentait si généreux, et voilà que s'approche l'infamie :

— Vous resterez bien casser une petite croûte ?

Donner sa place dans le métro

Il y a la légèreté spacieuse des débuts de ligne. On monte dans un wagon très clairsemé. D'emblée, on va se poster debout, devant la porte, côté voie — là, on ne sera pas dérangé par les montées et les descentes des passagers, et puis, aux stations, on pourra regarder les publicités, les gens sur l'autre quai, avec cette distance, ce recul qui libèrent l'œil citadin des crispations contingentes. Entre les stations, par contre, pas grand-chose à faire, et on finit par se lasser de sa propre image dans la vitre noire — ou plutôt par se lasser de l'idée que les autres vous voient contempler à l'infini votre propre image. Alors on va s'asseoir. Il y a des places libres, dans ces mini-compartiments trop étroits où sont distillées les places assises. L'opération se fait sans cérémonie, sans bonjour, sans merci, mais avec un resserrement des jambes, un tassement des fesses déjà installées qui manifestent à la fois leur acceptation et un vague reproche — à cause de vous, c'en est fini du vrai confort.

Les stations s'égrènent, sans rien changer. Deux passagers descendent, un autre monte. Puis, tout à coup, le cataclysme : on est à Saint-Lazare. La montée des assaillants est des plus vigoureuses. Envahi par une vague insidieuse, le wagon change de nature : au transbahutement monocorde de destins séparés va succéder la promiscuité de l'exode populaire.

On se félicite d'être épargné : le club des assis doit rester sans souci. Mais cette apparente sérénité ne résiste bientôt qu'au prix d'une indifférence trop affectée, puis d'une hypocrisie niaise. La marée se répand, vient habiter les interstices. Il devient dès lors difficile de lire son journal, ou de regarder obstinément l'humanité si proche à hauteur de ceinture. Quelque part au-dessus de soi, on sait bien qu'il doit y avoir un menaçant message : « Les places assises sont réservées par priorité... » Certes, les mutilés de guerre et les aveugles civils ne semblent pas légion, mais difficile de rester aussi affirmatif quant aux femmes enceintes et aux personnes âgées...

Il eût fallu se lever tout de suite. Que pourra bien valoir une générosité tardive, légèrement honteuse, irrémédiablement différée ? C'est pourtant celle que l'on finit par offrir dans le vague, sans oser en désigner le bénéficiaire. On le sent bien en se levant, en écrasant maladroitement les pieds des compressés debout : c'est un acte de mauvais aloi, qui ne donne pas même bonne conscience. À la place que vous avez libérée, personne ne s'assiéra d'abord. On attendra pour s'y glisser de ne plus sembler dépendre de votre fausse bonne action. Vivement la prochaine, c'est là que l'on descend.

Poussin sous le soleil

C'est souvent vers le temps de Pâques. Parfois bien avant, un samedi un peu fou. Le soleil brille depuis midi. Ils sont là-bas sur le terrain de foot, en maillots rouges, en maillots verts. On ne s'arrête même pas pour les regarder — il n'y a que les parents, les entraîneurs, sur le bord de la touche, on aurait l'air idiot. Ce n'est pas un spectacle, le championnat poussin. Ça se joue sur un terrain annexe, très loin de la tribune de béton mortifère, de la piste d'athlétisme déserte. Mais en quelques secondes happées au vol sans descendre de voiture, on a compris. C'est juste cette façon particulière qu'ils ont de s'ébrouer dans l'herbe, d'en faire un tout petit peu trop.

Ils jouent la balle, bien sûr, mais les gestes ne sont plus seulement ceux du football. C'est tout d'un coup comme une cour d'école en plein espace, une effervescence gratuite. Ils ont joué tout l'hiver, le samedi après-midi, dans le vent, le froid, la boue. Ballon lourd, crampons glaiseux. Seul importait le sort du match, le classement du groupe trois — quelquefois le remords d'un six en maths à annoncer, qui continuait à courir dans la tête, au retour des vestiaires.

Et puis voilà. Il fait beau, et c'est comme si tous les matchs gris n'avaient été que pour celui-là, qui fait semblant de s'appeler encore football. Corner, six mètres, orange à la mi-temps : tous les gestes sont là pour mieux goûter la joie tiède, blonde, la joie par en dessous qu'on n'avouerait pour rien au monde. Qu'on ne s'avoue pas à soi-même. Car c'est bon pour les grands, de tout gâcher en collant l'étiquette, de soupirer : « Comme il fait bon, comme on est bien ! »

Quand on a dix ans, on joue sérieux sur le dégagement, on reste bien les pieds au sol pour la remise en touche. Mais il y a du bonheur dans chaque geste, et ça se voit. En maillot rouge, en maillot vert. Poussin sous le soleil.

Vous vouliez lui parler!?

La voix suave, qui vous oppose une fin de non-recevoir aseptisée — Monsieur... est en réunion. Il peut vous rappeler? —, n'est pas la plus redoutable. Non, la secrétaire qui agace vraiment, c'est la bonne secrétaire. La fidèle, la compétente, celle qui-à-la-limite-connaît-mieux-la-vie-de-Monsieur...-que-Monsieur...-lui-même. On le sent tout de suite, l'anonymat du téléphone n'y peut rien ; dès la première phrase, elle vous soupèse. Vous n'aviez pas imaginé que Monsieur... fût une citadelle inexpugnable. Mais en quelques secondes, votre désir naïf devient presque un outrage.

— Vous vouliez lui parler!?

Et là, tout d'un coup, vous mesurez votre impudence, vous flageolez. Non, après tout, votre envie de contacter Monsieur... n'était pas si fondamentale, quelle mouche vous a donc piqué? Un reste d'amour-propre vous pousse à refuser la voie de garage qui vous est proposée avec une condescendance un rien amusée, et l'emploi d'un imparfait rédhibitoire :

— C'était pourquoi, exactement? Je peux peut-être vous aider?

Ah! cet « exactement », comme il vous fouille au fond de l'âme! Il n'y avait pas d'exactement, votre implacable confesseur l'a bien senti, et son « je peux peut-être vous aider? » peut aisément se convertir en « vous feriez mieux de le laisser tranquille ». Vexé, vous pataugez :

— Non, c'était personnel. Je rappellerai plus tard.

Alors, le « comme vous voudrez » prend des accents d'obligeance blessée, de commisération presque amusée.

Plus tard, si le hasard fait de vous l'un des incontestables familiers de Monsieur..., la bonne secrétaire changera du tout au tout. Dès l'annonce de votre nom, vous aurez la stupeur d'entendre un « je vous le passe » dont l'enjouement badin voudra dire aussi : « Vous, au moins, vous connaissez le bon moment pour l'appeler. »

Mais tout au fond de vous, serez-vous si surpris? On aimerait que tout cela soit très humain, mais ce n'est que rapport de force. L'intraitable Madame... sera devenue pour vous cette bonne Madame... Elle n'avait pas l'apanage de la prescience, car vous le saviez bien : l'excès de sa rigueur annonçait celui de sa servilité. C'est ce qui fait les bonnes secrétaires.

La roulette

On revient chez le dentiste, après une longue
parenthèse — on s'était bien promis, pourtant, ça serait tellement plus facile de passer
tous les ans faire un contrôle, un détartrage...
Puis le temps a filé; on est là, soulagé d'avoir
obtenu un rendez-vous après une nuit d'in-
somnie, anxieux quand même.

C'est assez curieux, cette façon qu'on a de
se livrer au dentiste, abandonné et réticent.
En entrant dans le cabinet, on aimerait bien
quelques phrases banales, mais le dentiste
n'est pas prolixe, dans ces moments-là. Il dit
quelque chose à son assistante en rangeant
des fiches, vous fait signe de vous glisser dans
le fauteuil. Il ne vous regarde même pas quand
vous êtes encore social, presque badin. Mais
dès que vous avez dégluti laborieusement,
que vous êtes réduit à l'horizontalité crispée,
il s'intéresse à vous. La bouche ouverte, le

regard ridiculeusement expressif, on ne peut qu'opiner éperdument. Il y a d'abord des grattements mécaniques, des aspersions d'air comprimé, une piqûre — désagréable, mais si rapide. On attend. On sait très bien qu'on n'en est qu'aux préliminaires.

Alors naît le ronronnement qui monte en une fraction de seconde vers l'aigu. Il vient de loin, ce bruit de la roulette. Il réveille au passage toutes les peurs anciennes, les terreurs enfantines impossibles à cacher, les fausses désinvoltures adultes feuilletées à coups de *Paris-Match*. Il faut se résigner à cette insupportable tonalité d'insecte métallique accompagnée d'une vibration sourde. On est ailleurs, soudain, prisonnier dans le temps et l'espace de cette cigale d'acier qui martèle et déchire, insiste dans le grave et l'os, puis se libère quelques secondes à l'air libre avant de revenir, plus sauvage, plus obstinée.

À l'acuité du son semble liée la conscience de la durée, conséquente mais incertaine. On est une bulle de bruit volant dans l'abstraction, le gris, vers une délivrance opaque, cotonneuse, scellée par un gobelet d'eau tendu, le rite d'un crachat libérateur. On l'a au fond de soi, le bruit de la roulette; il fait partie du corps. On fait semblant de l'oublier, mais la cigale est toujours prête à striduler.

La peur de la micheline

La micheline rouge et blanc cassé doit venir
s'amarrer au quai de la gare à dix-huit heures
quinze. Cinq minutes avant, un TGV a giflé le
quai désert. On s'est reculé de deux pas. Le
souffle a ébranlé tout l'espace. Les murs de
la station ont vibré, soumis et outragés. Le
petit cabanon-toilettes de bois vert sombre
n'a même pas compris de quoi il s'agissait.
Maintenant, la gare s'est recoiffée dans la
lumière chaude. Les géraniums ont retrouvé
un peu de leur sérénité pour accueillir un visi-
teur plus policé.

On la voit venir de loin, la micheline, après
le passage à niveau de la dernière courbe. Elle
est posée si bas sur les rails, comme un chat
familier qui s'approche sans hâte. Le moteur
a déjà décéléré, et le ta-dam-ta-dam bringue-
balant s'est converti en pom-pom-pom régu-
lier, finissant. Un bruit tout à fait rond, pro-

tecteur, pacifiant. Les mains croisées derrière le dos, on se sent monter aux lèvres un début de sourire.

Pourtant, si celui qu'on attend ne descendait pas, la sagesse du pom-pom-pom serait d'une ironie cruelle. Un contrôleur saute du train encore en marche à pas glissés, annonce le nom du village. Un crissement de freins monte à présent, juste avant l'immobilité complète. Le ronron du moteur se fait plus tranquille encore, accompagné d'un jet de fumée noire. Le chef de gare donne un paquet au contrôleur. Quatre ou cinq passagers n'en finissent pas de descendre sur le quai avec une indifférence routinière qui vous prend le cœur. Celui que l'on attend est toujours le dernier, le seul embarrassé par son bagage. Dix-huit heures dix-huit. Pas plus de trois minutes de retard, juste de quoi se faire une petite peur, une petite fête. Coup de sifflet. Le pom-pom-pom enfle à nouveau. Après les embrassades on doit se taire, attendre pour traverser la voie en regardant ensemble devant soi. Le rouge et blanc s'étire lentement, libère un pan de mur à géraniums, un ciel d'été.

Gagner le cœur d'un artichaut

Évidemment, c'est un jour où l'on a décidé de prendre le temps. En famille, ou seul — on n'imagine pas de manger ça avec des invités : l'artichaut réclame le silence. Le premier rite consiste à incliner l'assiette en posant dessous le couteau — c'est un peu plat — ou mieux, le bombement de la fourchette. On se fait soi-même la petite sauce, juste ce qu'il faut d'huile et de vinaigre, un peu de moutarde, pour voir nager des îles brunes veloutées. Il faut prévoir aussi un bol ou une assiette vides pour les feuilles consommées.

Alors on peut commencer à manger. Manger? Est-ce manger, cette façon de glisser les dents au milieu de la partie dure, racornie, en traçant des sillons, pour arriver seulement à la fin à cet ourlet mollement fourré? On se contente chaque fois de ce contraste entre les consistances, à défaut de saveur. On n'avale presque rien, et pourtant déjà le bol se remplit de vert sombre et de reflets noirs. Un bon moment, c'est quand les feuilles s'amenuisent, deviennent en haut pointues, piquantes, il ne reste bientôt plus qu'un chapiteau, une tente d'indien mauve à la base renflée, d'un blanc cassé lubrifié. Il faut choisir le bon moment pour le saisir, le détacher, et goûter d'un seul coup tout le pourtour — ça semble une impudence, après tant de grignotage.

Il reste le plus dur : détacher tous les poils de la coupelle grise. On n'y arrive jamais tout à fait, mais c'est presque mieux comme ça : il faut un peu de bourre sur la peau grenue pour apprécier comme il se doit l'étonnant miracle d'une planète entièrement comestible, que l'on découpe en petits morceaux allongés. Il y a à peine assez de sauce pour gorger comme il se doit ces îlots de plaisir parfait.

C'est drôle, parfois on mange des hors-d'œuvre raffinés avec des fonds d'artichauts entiers, chargés de macédoine, de thon et de maïs. On les avale alors sans prendre le temps d'y penser, c'est un gâchis sans nom. Pour goûter le fond d'un artichaut, il faut juste à côté une montagne de feuilles, un chapiteau déchiqueté.

Conseil de guerre

C'est un enfant qui joue, tout seul, agenouillé sur la moquette de sa chambre. Il a les Play Mobil du Far West, avec le fort aux poutres un peu trop régulières en plastique marron, les Indiens, les tuniques bleues — même celui qui joue du clairon. On est là, invité, les autres sont partis au marché, on a fait sa toilette le dernier. Il a disposé les Indiens tout autour du fort, à plat ventre, fait coucher les chevaux. Il parle à haute voix, avec les phrases des westerns. On est dans le couloir. Délicat de se montrer — on ne voudrait pas tout arrêter — mais délicat aussi de ne pas se montrer — il vous a déjà vu, sans doute. Et puis on a un peu envie d'entrer dans le jeu. Pas vraiment de jouer, mais de se prouver à soi-même qu'on pourrait encore le faire, qu'on ne serait pas trop un pachyderme dans un magasin de porcelaine. On hésite. On est vraiment intimidé. Ça ramène à très loin, des filles qu'on n'osait pas aborder, des vies qu'on désirait, des mots qu'on ne savait pas trouver. C'est comme s'il y avait le même enjeu, mais on finit par se lancer :

— Tu crois que je saurais jouer au fort avec toi?

Alors on se sent soupesé par un regard grave. Pas d'exultation, pas de refus, pas d'assentiment de politesse. Simplement, au bout d'un long temps de latence, ce geste impérieux du bras tendu :

— T'as qu'à prendre les Indiens.

On prend les Indiens, et même on se remet en bouche un de ces vieux conditionnels-sésames qu'on avait oubliés :

— On aurait dit que je t'aurais envoyé un émissaire pour parlementer.

On est accepté! Mine de rien, on plonge dans l'histoire, à coups de concessions réciproques, je te rends tes prisonniers, mais tu me donnes des vivres pour huit jours. Quand les autres vont rentrer du marché, il y aura des phrases comme écrites à l'avance :

— Où sont-ils, tous les deux?

— Dans la chambre. Ils jouent au fort, ça a l'air d'être sérieux!

Plus tard, à l'heure de l'apéro, on renoncera aux libations, on en fera un tout petit peu trop :

— Buvez sans moi ! J'ai encore quelques braves à sacrifier !

Et ce sera très lâche, une façon de faire croire qu'on possède nonchalamment les deux univers — comme si le cœur n'avait pas battu fort, à ce moment fragile où l'enfance pouvait vous exiler.

La voix du doublage

Le Crime de l'Orient-Express. Ça faisait long
temps qu'on ne l'avait pas revu. Pas désagréable de se laisser entraîner dans cet univers
clos. Le meurtre doit surgir dans la petite
cabine capitonnée où chaque voyageur resserre un peu de passé trouble. Dehors des
champs de neige, dedans champagne et
valium, tisane et regards faux. On se rappelle
vaguement que les destins des personnages
sont liés : on serait bien incapable de dire de
quelle manière. Mais on retrouve d'emblée
quelque chose de plus, un ton, une impres-
sion... C'est cette voix qui double en français
celle d'Anthony Perkins, le secrétaire du mil-
liardaire américain Ratchett, alias Cassetti.
On croit d'abord que c'est parce que l'acteur
qui double Perkins est toujours le même. Mais
il y a autre chose : la sensation de sortir de
l'histoire chaque fois que le secrétaire névrosé

prend la parole. On est quelque part au cœur de l'Europe centrale. En même temps, on est ailleurs, dans un paysage qui se cherche, dans une autre histoire. Les répliques du secrétaire ne correspondent pas au personnage ; la musique des mots leur fait dire autre chose...

Et tout d'un coup ça y est! Cette voix, c'est aussi celle du héros des *Chariots de feu*, le champion de quatre cents mètres Eric Liddell, qui court pour Dieu. Perkins avait beau déployer son étrangeté nocturne, son jeu gardait une étincelle de chaleur rassurante, une infime parcelle de candeur héroïque au cœur de la duplicité. Et pour ce rôle soudain retrouvé en filigrane dans la version française du *Crime de l'Orient-Express*, combien d'autres doivent rester informulés, petits îlots de mémoire involontaire qui glissent sournoisement dans la bande-son, et nuancent en abyme le personnage — et tous les personnages, infiniment multipliés?

C'est bien, la postsynchronisation. Bien sûr, on sait que les vrais amateurs préfèrent la bande originale. Mais pour les béotiens, cette façon de vivre les films n'est pas désagréable. Elle ajoute au cinéma un mélange impondérable de mystère et de familiarité. Sans tout à fait savoir comment, on habite la pellicule.

Petite pluie de métal

C'est souvent dans un vestibule, ou sur le seuil d'une chambre d'enfant. En passant, on caresse de la main ces petits tubes métalliques. L'objet? Une vague tête de chouette d'un design désuet — une de ces choses qui faisaient moderne dans les années soixante-dix. Mais ce sont les pendeloques en dessous qui comptent, et cette musique grêle, égrenée distraitement au passage. Pas de quoi s'arrêter. On poursuit la conversation, donnez-moi votre manteau, elle est jolie, ta chambre. En même temps on est distrait. Le bruit s'est lentement décomposé, passant d'une vitalité presque agressive à une molle fluidité. Mais il est resté dans l'espace, et cherche patiemment sa place, entre les phrases apéritives, le sel des cacahuètes et l'amertume du whisky. Bientôt, on ne pense plus qu'au dernier film, on se récrie — comment pouvez-vous aimer ça!?

Mais alors, quelqu'un d'autre passe sous la chouette, et la musiquette semble venir de bien plus loin, au-delà du brouhaha convivial. On se sent traversé. Oui, cette petite phrase de métal, c'était l'épicerie, celle qu'on a rasée pour faire le parking, il y a si longtemps. On poussait la porte de bois peinte en vert et le carillon d'eau se déclenchait — on ne savait pas trop d'où il venait, ou on ne voulait pas savoir. L'épicière s'approchait, les mains croisées sur son ventre proéminent, son beau tablier blanc. Quelques secondes, avant les premiers mots, le magasin tout entier flottait dans cette dispersion légère des notes détachées. Une musique de l'après-midi, pour dire la poussière blonde dans un rai de soleil, les bonbons à la menthe dans le bocal de verre, la motte de cantal sous sa cloche grillagée. Une musique de métal pour suspendre le silence, la fraîcheur, les odeurs et l'obscurité.

— Alors, qu'est-ce qu'il a de si mal, ce film ?

Le bistrot lyonnais

On y va un peu pour se faire chambrer, bousculer. Ainsi, la dame à la table d'à côté a pris cette expression ravie-confuse qui semble de mise quand on a demandé au patron en tablier bleu quel vin il vous conseillait, et qu'on s'est attiré cette réponse :

— Le pot d'rouge de Mâcon, c'est avec ça que j'me fais l'plus de pognon !

Les menus sont écrits à la craie sur des ardoises accrochées au mur. Le décor hésite entre simplicité-famille 1950 et art déco discret.

Mais on vient là surtout pour entendre des mots faussement familiers, des mots si charnus qu'ils semblent autant d'injures lancées à toutes les cuisines diététiques : tablier de sapeur, gras-double, tête de veau sauce gribiche, pieds paquets, saucisson chaud, fraise de veau, potée aux deux viandes.

Et comme la dame s'inquiète, le patron lui assène avec une patience outrée qui cache mal son agacement :

— Mais non, madame, c'est pas gras, l'gras-double. Y a rien d'gras dans les abats !

Un coup d'œil jeté sur l'excroissance abdominale qui gonfle le tablier bleu jette une ombre de doute sur cette phrase péremptoire, mais on n'est pas là pour discuter.

On est là pour se laisser faire, se laisser gagner par la chaleur qui vient du côtoiement des coudes et des tables, du rouge de Mâcon... qui vient surtout de cette poésie gargantuesque, de cette sensualité sans vergogne des mots outrecuidants. On a dans son assiette une réalité plantureuse, raisonnable toutefois. Mais c'est dans la tête que la bonde est lâchée, que le cholestérol déferle avec un rire sardonique. Tablier de sapeur ! chaque syllabe se détache avec une lourdeur provocante et satisfaite. Au bistrot lyonnais, on devient sénateur de la Troisième République.

Fruitaison douce

Automne. Il pleut des fruits. Effleurement
de bogues sur feuilles couchées. Rebond sourd
d'une pomme, d'une poire, d'un coing. Une
noix roule sous le pied. Enfin il a fait beau
pour la dernière tonte, mais le soleil descend
déjà. Pourtant on a envie de rester là encore
un peu, de goûter sur le banc, il ne fait pas
si froid. Et puis c'est la dernière fois de cette
année, sans doute. On se souvient du poème
de Keats qu'on étudiait au lycée :

Autumn
Season of mists and mellow fruitfulness...

Mellow fruitfulness. Le prof levait les yeux
au plafond, faisait avec le bout des doigts le
geste de saisir une impalpable subtilité :
— Fruitaison douce, en fait, mais c'est difficile de donner l'équivalent exact en français.

77

J'ai bien peur qu'il ne s'agisse d'un néologisme... Et encore, il n'y a pas cette idée de plénitude... *fruitfulness*...

Une tasse de thé clair. On la repose au creux du banc. Sur la porcelaine blanche, le dessin vert foncé figure un décor de campagne arrondi, une diligence picaresque et drôle, mais on n'aperçoit pas Mr Pickwick. L'herbe est mouillée ou bien déjà un peu trop haute, et ça sera encore plus beau comme ça dans quelques jours, flèches blanches aux premiers matins de gel. On reste là, et la lumière lentement prend la couleur du thé. Les feuilles de l'ampélopsis en ont un feu de joue et se recroquevillent, vieilles dames cramoisies.

Il pleut des fruits secrets pour des moments très blonds, noix fraîches avec un verre de vin blanc, châtaignes à peler devant un feu de cheminée, des amis passeront. Il y aura de la compote poire-pomme-coing, un tout petit peu d'âpre engourmelé dans le sucré, le souvenir d'un grand ciel bleu sur les derniers cosmos. Fruitaison douce.

Vous êtes bien, là !

— Vous êtes bien, là !

On le dit juste trop tôt, comme si la phrase devait venir avant qu'on ait vraiment soupesé les avantages du lieu. C'est vrai que c'est gênant, cet instant où l'on pénètre chez les autres en découvrant d'un seul coup tant de choses : une maison, un appartement, mais, bien au-delà, une façon de vivre toute nue. Le « vous êtes bien, là ! » est une façon matoise de couper court à ce que la révélation pourrait avoir d'impudique. Un simple coup d'œil périphérique sur les données objectives de l'endroit, puis un regard par la fenêtre, même si le panorama découvert reste des plus modestes, et le « vous êtes bien, là ! » sert de ticket d'entrée. Derrière lui, les tensions s'amenuisent. On vous fait asseoir dans un fauteuil, sur un coin de sofa. La conversation va vraiment s'engager, et l'œil pourra errer en liberté, sans que votre hôte redoute la rigueur d'un jugement trop composé.

D'ailleurs, que lui importe? Il n'attend pas que vous jugiez sa vie, son moi le plus intime. Or c'est bien de cela qu'il s'agit, dans la façon de laisser traîner une pipe sur la table basse à côté du paquet d'Amsterdamer, de mettre en évidence la couverture d'un Folio dans la bibliothèque, de mêler les annuaires téléphoniques au catalogue des Trois Suisses, et de faire planer sur tout cela l'odeur mal évanouie d'un bâton d'encens, qui envahit curieusement le visage de Jean Seberg dans *À bout de souffle*, petit sous-verre juste en face.

Tant et tant de vrais indices vont se distiller pendant qu'on parlera de rien, qu'on parlera trop vague de destin, de vacances d'enfants, de parents vieillissants, d'amours perdues. La vraie vie commence là, dans le mélange entre les mots abstraits, les choses révélées. Avant de s'enfoncer, il faut protéger l'autre, ouvrir pour lui un parapluie, et détourner les yeux vers la fenêtre où l'on ne voit plus rien de lui. Vous êtes bien, là!

L'heure du tee

C'est au rugby, quand le buteur va tenter une transformation ou une pénalité. Une pénalité plutôt, parce qu'alors l'attention se focalise sur lui, la dramaturgie se resserre autour de ses gestes. On lui apporte le tee, un vulgaire petit disque de plastique évidé en son centre où il va caler le ballon à la verticale. Il prend un élan cérémonieux, quelques pas d'arpenteur à reculons d'abord, parfois en arc de cercle, avec une ritualité méticuleuse qui se manifestera davantage s'il a d'autres tentatives à effectuer. Si c'est en Angleterre, les commentateurs de la télévision insisteront sur la sportivité du public qui ne siffle pas l'adversaire. Si c'est en France, on essuiera comme un camouflet la bordée de sifflets qui va croître avec l'imminence du tir. Le buteur s'essuie les mains sur son short, puis il prend son élan. À la clameur de la foule bientôt suivie par la levée des deux drapeaux des juges de ligne, on saura que le ballon est passé entre les poteaux.

Si le tir est raté, le buteur ramassera le tee avec une précipitation machinale, et le jettera vers la touche sans lui accorder le moindre regard. Mais si les trois points sont marqués, c'est autre chose. Certes, au rugby, on est entre hommes : pas de débordements de joie intempestifs, d'accolades amoureuses, de signes de croix furtifs, de médailles baisées. Alors, précisément, on guette l'expression minimaliste de la satisfaction, la petite tape sur les fesses du pilier qui passe à côté du botteur. Celui-ci regagne sa place en courant avec un je ne sais quoi d'ostentatoire dans l'humilité de la foulée. Mais c'est dans l'évacuation du tee que son triomphe modeste se matérialise. Son geste pour s'en débarrasser va prendre une ampleur différente, la main restera déployée quelques secondes de plus. Mais surtout, les yeux du tireur vont suivre jusqu'à son terme le vol du petit disque. Malgré la brièveté de l'opération, il y a dans ce mouvement de nuque perpendiculaire au sens de la course, dans cet accompagnement inutile de l'objet par un regard plein d'assentiment... une espèce de grandiloquence ébauchée comme par mégarde, un salut aux étoiles qui n'ose pas s'avouer.

Saudade Orangina

La musique de l'orchestre couvre tout juste celle des autoscooters et du manège. Alors, quand on rencontre des visages familiers, la conversation est toute faite, après les bises un peu trop prolongées. Une phrase sur la chaleur, une autre pour regretter les fêtes d'autrefois — Popaul Francazal, c'était autre chose ; il chantait en français, interpellait les danseurs, les appelait par leur prénom. Et puis, il ne prenait pas trois millions. Trois millions ? Trois millions anciens, bien sûr. C'est Lamothe qui me l'a dit. Il est au comité des fêtes.

Après, il ne reste plus beaucoup de munitions. On hoche la tête. Les regards s'infléchissent vers la piste de danse. Au-dessous d'un long fil s'égrènent les ampoules électriques bariolées, c'est là que ça se passe. Il y a les techniciens du paso-doble et de la valse,

83

souvent entre deux âges, qui tournicotent, le regard absent-concentré. Ils s'éclipsent au moment du rock. D'autres artistes, un peu plus jeunes, leur succèdent. Il y a toujours deux filles qui dansent ensemble avec un entrain résigné, pas mal de couples détachés qui font n'importe quoi, un vieux à béret assis sur le muret, près de la nationale.

On va s'installer en bout de piste, côté buvette. Bière en bouteille, Orangina? Des gosses passent entre les tables, réclament de l'argent, repartent aussitôt vers le manège. Ça sent la poudre du stand de tir et la merguez.

À quoi bon se parler? La musique est trop forte. Alors c'est cette solitude côte à côte Orangina. Les flonflons s'en vont loin, chaque génération plongée dans sa mélancolie. Les grands-mères revoient l'époque où elles allaient au bal à pied, les souliers de danse à la main. Flonflons du bal côté buvette; une bouffée d'accordéon se perd avec le vent d'avant l'orage. Des filles en robes claires et puis en jeans, talons aiguilles, espadrilles lacées, tennis, qu'importe. Elles tournent là tout près comme elles tournent au fond de soi, saudade Orangina.

Correspondance

Ça se fait dans l'action, dans l'élan, en partant, en rentrant. Dès que la clé entre dans la serrure frêle, soulève le loquet, on sait qu'on joue un rôle. Ça fait très décidé, désinvolte, cette façon de prendre le courrier en passant. On sépare le bon grain de l'ivraie, avec un haussement d'épaules pour ces publicités envahissantes qu'on glisse sous son bras, en attendant de trouver une poubelle. Parfois, c'est un journal. Il n'ira pas à la poubelle, mais filera sous le bras, lui aussi, avec le relevé de banque, les quittances, et même l'invitation au cocktail. C'est autre chose qu'on attend. C'est toujours autre chose.

Bien sûr, on se dit que s'il y avait un événement exceptionnel, ou grave, on aurait eu un coup de téléphone, un mot sur le répondeur. Bien sûr. Alors, pourquoi ces battements de cœur? On n'est pas amoureux, et c'est pourtant comme si on attendait une lettre d'amour. On reprend sa marche, vers l'escalier ou vers la rue, peu importe. Il y a ce ralentissement quand on décachette une lettre, comme si l'élan n'était plus que simulé, dérisoire. Parfois, c'est une lettre trop longue, bourrée de dynamisme envahissant, d'emploi du temps triomphant. Parfois, une lettre triste, avec des idées seulement, des sentiments, aucune action. Mais c'est la même gravité qui monte pour la lire; si un sourire se dessine au bout de l'immobilité, c'est lentement, comme une connivence un peu mélancolique sur fond de corridor et de passé. Malgré le sac à main, le porte-documents, le parapluie, la pub et le journal relégués sous l'aisselle, on n'est plus dans le mouvement. On décompose, on ralentit. En gare, on descend sur le quai. On prend la correspondance.

Hommage de chaises

L'affiche annonce du Molière ou du Gripari, du Labiche ou du Tardieu, de la poésie, du burlesque. Il fait toujours trop chaud. Il y a toujours l'élève qu'on n'attendait pas, celui qui ne dit jamais rien en classe, empêtré dans son corps, et soudain se révèle — et les mêmes phrases un brin condescendantes pour saluer son exploit. Le prof-animateur espère des effets comiques, mais les deux meilleurs sont toujours ceux qu'il n'avait pas prévus : la chute de la cheminée, bien sûr, et surtout ce grand trou suivi de soufflements énergiques venus de la coulisse — l'acteur semble le seul à ne pas les entendre. Enfin, après une bonne minute de silence, la réplique lui revient : « Mais cessez donc de parler tous ensemble ! » Est-ce bien charitable de rire alors aussi longtemps ? Mais les spectateurs sont venus beaucoup pour ça, pour ces imperfections charmantes qui font tout le piment des soirées scolaires.

De toute façon, la fin de la pièce est toujours saluée par des applaudissements nourris. Le prof-animateur se fait un peu prier, mais vient les partager avant qu'ils n'aient complètement cessé. Après, il y a des soupirs de soulagement, des perruques et des bouts de bouchon brûlés partout. Quelques parents, quelques professeurs s'attardent. Ils voudraient bien se rendre utiles, mais comment?

Et tout d'un coup, ça y est. L'un d'eux empoigne une chaise, l'encastre dans une autre, puis une troisième. Un frisson de plaisir saisit soudain tous les badauds désœuvrés, qui se muent aussitôt en manœuvres bénévoles. Chacun sent bien que son devoir est là. Sans un regard, sans un mot, on partage, on empile, on entrechoque, on participe à un ballet frénétique, qui se déploie en lignes de force perpendiculaires à la scène. Plus que les applaudissements, plus que la présence prolongée, c'est cette participation chaisière qui constitue l'hommage mérité par tous les acteurs de la soirée. La pudeur enthousiaste emprunte chaque fois la métaphore des chaises empilées. Un éloquent fracas. Dans le silence qui suit, on sent que tout est dit

Cet oiseau-là

C'est peut-être une espèce de paon — son aigrette est bizarre, mais il a quelques yeux au bout de la queue. Un oiseau de paradis? On ne sait pas trop ce que c'est, mais la luxuriance du nom convient tout à fait à ce volatile orgueilleux qui se déploie au fond de votre assiette. Le même oiseau. Tellement familier qu'on ne saurait trop dire où on l'a déjà vu. Pas chez des amis, en tout cas. Non, c'est le genre de vaisselle qu'on retrouve dans certains hôtels, ou dans une location de vacances, chez des gens très âgés parfois.

Il y a une étrange satisfaction à se retrouver assis devant cet oiseau-là. C'est encore plus fort quand le motif est un peu pâle, un peu usé, quand sur le triomphe de la bestiole prétentieuse ont glissé tant et tant de soupes chaudes au vermicelle. Juché sur un arbuste, il regarde manger depuis des dizaines d'années la France des petites bourgeoisies. Le pied de l'arbre est une énigme. Le peintre a sans doute voulu figurer une motte de terre, mais sa forme biscornue, creusée au centre, évoque irrésistiblement un squelette de bassin. C'est ce qu'on y voyait quand on était enfant, qu'on s'ennuyait au restaurant sans écouter la conversation. Avec le temps, on aurait pu connaître la désillusion d'une perception plus réaliste. Mais non. Cet étrange machin suspendu dans le ciel laiteux de l'assiette reste squelette de bassin.

À regarder de près, le reste de l'arbuste est tout aussi improbable : de larges fleurs lie-de-vin aux pétales arrondis, des fleurettes orange ou crème aux dents pointues. Sur le tronc mauve, des épines dignes du château de la Belle au bois dormant succèdent à un nœud nombrilesque. Lie-de-vin, mauve, sable : les couleurs de l'oiseau sont celles aussi de l'arbre. Il faut ne pas savoir dans quelle hiérarchie l'osmose s'est créée. Est-ce l'oiseau de l'arbre, ou l'arbre de l'oiseau ? Ce paon pas vraiment paon, ce faux rosier ont les mêmes aigreurs, les mêmes aspérités, distillent au cœur de leur orientalisme occidentalisé les mêmes griffures virtuelles. Mais l'assiette est presque ronde, ourlée de vagues douces, où les fleurs retrouvées ont perdu leur violence en échouant sur le rivage.

Aucune signature. Depuis plusieurs géné-
rations, on racle à la cuillère cette fresque de
porcelaine. L'artiste anonyme a-t-il connu
l'ampleur de son succès? Des moments
gourds, des entrechoquements de couverts et
d'assiette, une nourriture un peu fade. Et
combien d'aveux lourds, de rêves différés,
d'attentes informulées, de presque gêne dans
cet oiseau-là?

Les derniers pas au ralenti

C'est juste à quelques mètres de la porte
d'entrée de la brasserie. On marchait de
concert et d'un bon pas, dehors il faisait
froid, on se réjouissait déjà d'échapper au
vent glacial, on ne se parlait plus qu'à inter-
valles, entre deux nuages d'haleine et deux
frissons, mains dans les poches. Mais au dernier moment, c'est toujours comme ça. On
ralentit, on s'arrête presque sur le trottoir, et
tout d'un coup le babil revient, débonnaire et
profus. Insensiblement, on prépare déjà dans
sa posture le recul du corps qui laissera passer l'autre le premier — mine de rien, et bien
que pris par la conversation, on garde la maîtrise des usages. Ce n'est pas seulement ce
jeu magnanime du plus poli des deux qui est
en cause. On a vraiment envie soudain de parler sur le trottoir, à deux pas de la porte, et
même on va devoir s'effacer pour laisser passer

d'autres clients qui se sont décidés, après lecture du menu — se sont décidés surtout en ayant vu se dessiner cette opportunité de vous passer devant. On pourrait certes en finir avec l'anecdote après pénétration dans l'établissement. Mais non, ce n'est pas comme ça. Il faut épuiser le sujet, avec une précipitation soudaine des derniers échanges, le bras tendu pour inviter l'autre à vous précéder. Il ne fait plus du tout froid, on se passionne pour la fin du film ou la dernière bourde de Mesnard. Quand tout est dit, monte aux lèvres un sourire convivial de devoir accompli.

En fait, c'est très sournois, cet alentissement des derniers mètres. Ce qu'on prépare ainsi, c'est la grande bouffée de la porte entrouverte, le premier pas dans la maison. Assiettes entrechoquées, pardon messieurs je suis à vous dans une minute, deux noirs serrés et l'addition, elle vient ma cervelle, tenez, la table au fond! Ah oui, cette rumeur des conversations sauce gribiche, ces nappes en papier froissé à la va-vite, on vous remet l'huilier, ces gestes engoncés pour enlever sa veste et l'empiler sur la patère surchargée, tout ce tourbillon surchauffé qui vous agresse, délicieux, on se l'est magnifié dans l'hiver gris, sur le trottoir tout froid, on l'a gagné au ralenti.

La sieste assassinée

On est au milieu indécis d'une sieste éveil-
lée, avec un magazine à parcourir, ou mieux :
une vieille bande dessinée qu'on n'a pas lue
depuis longtemps. Le temps s'étire vaguement. Il est deux ou trois heures de l'après-
midi, un jour d'août accablant de canicule.
On n'a pas même le léger remords de gâcher
un infime quelque chose : de toute façon, il
fait beaucoup trop chaud pour se promener.
Le couvre-lit tricoté au crochet repoussé sous
les pieds, on se sent léger, suspendu dans une
lévitation protégée. Séparé du monde, on est
mieux que bien : on n'est presque rien du tout.
Le seul rythme donné au jour vient du passage de quelques voitures dans la rue proche.
Au virage, le ronron du moteur fléchit, comme
si le conducteur voulait stopper son véhicule,
puis une nouvelle accélération tranquille sur
l'asphalte fondu dissipe cette sensation. Les

autres vont ailleurs, et c'est très bien ainsi. Pourtant, au creux même de la bulle, cette hésitation légère fait planer comme une menace imaginaire, inventée pour mieux déguster le gris et le rouge des aventures de Bicot, la paix ancienne des terrains vagues où les petits Américains jouent au base-ball.

Tant de voitures sont passées au virage, avec le même fléchissement, que tout danger semble à présent impossible. Mais c'est précisément l'instant où une énième automobile décélère avec une minuscule exagération. Le temps de latence avant la reprise du moteur se prolonge. Pis : à la place du ronflement rassurant monte bientôt l'élastique docilité de pneumatiques décomposant leur élan sur le macadam amolli. Déjà on a compris. Tout est perdu. Faire traîner un peu le café, évoquer la fatigue et même un léger mal de tête, déplorer l'excès de la chaleur, choisir une vieille bande dessinée : toutes ces précautions méticuleuses pour s'inventer une vraie sieste de rien mérité, et voilà qu'en un silence jésuite tout est poignardé.

Car on connaît tous les rites désormais. À l'amorti du caoutchouc succède le claquement des portières, poussées avec cette douceur insidieuse qui accompagne les visites par surprise. Des voix discrètes vous parviennent, trop faibles pour être identifiées. Là aussi, l'hypocrisie semble paradoxale : pourquoi les invités que l'on attend trop longtemps font-ils des débuchés triomphants, quand les voleurs de sieste ont des pudeurs de cloître au seuil de votre grille? Leur modeste retenue, leurs effleurements de sandales ne les empêchent pas de faire basculer le jour à gros sabots.

Bientôt, à la mauvaise humeur d'interrompre sa sieste, il faut ajouter le remords d'éprouver ainsi un sentiment bas, dont l'âcreté biliaire tient pour moitié à la digestion pâteuse, et pour autre moitié à l'évidence d'un tempérament égoïste et borné. Car quoi, ces parents, ces amis vont vous faire plaisir, en vous assaillant par surprise!?

Sûrement. Peut-être. Plus tard. Mais à présent il faut en convenir : ce silence fielleux du moteur, ce baiser pneumatique des roues alenties, ces portières battant de préméditation affectueuse ont la doucereuse brutalité du crime à l'arme blanche, du traquenard parfait.

Œuvres de Philippe Delerm (suite)

IL AVAIT PLU TOUT LE DIMANCHE (repris dans «Folio», n° 3309).

MONSIEUR SPITZWEG S'ÉCHAPPE («Le Petit Mercure»).

MAINTENANT, FOUTEZ-MOI LA PAIX («collection Bleue»).

Aux Éditions du Rocher

LA CINQUIÈME SAISON (repris dans «Folio», n° 3826).

UN ÉTÉ POUR MÉMOIRE (repris dans «Folio», n° 4132).

LE BONHEUR. TABLEAUX ET BAVARDAGES.

LE BUVEUR DE TEMPS (repris dans «Folio», n° 4073).

LE MIROIR DE MA MÈRE (en collaboration avec Marthe Delerm).

AUTUMN («repris dans «Folio», n° 3166).

LES AMOUREUX DE L'HÔTEL DE VILLE (repris dans «Folio», n° 3976).

MISTER MOUSE *ou* LA MÉTAPHYSIQUE DU TERRIER (repris dans «Folio», n° 3470).

L'ENVOL.

SUNDBORN OU LES JOURS DE LUMIÈRE (repris dans «Folio», n° 3041).

LE PORTIQUE (repris dans «Folio», n° 3761).

Aux Éditions Milan

LA FILLE DU BOUSCAT.

SURTOUT, NE RIEN FAIRE.

EN PLEINE LUCARNE.

Aux Éditions Stock

LES CHEMINS NOUS INVENTENT.

Aux Éditions Champ Vallon

ROUEN (collection «Des villes»).

Aux Éditions Magnard Jeunesse

SORTILÈGE AU MUSÉUM.
LA MALÉDICTION DES RUINES.

Composition Graphic-Hainaut.
Achevé d'imprimer par la
Société Nouvelle Firmin-Didot
à Mesnil-sur-l'Estrée, le 29 mai 2006.
Dépôt légal : mai 2006.
1ᵉʳ dépôt légal : décembre 2000
Numéro d'imprimeur : 79910.

ISBN 2-07-075835-4/Imprimé en France.

144445